Krijgt de politie ook wel eens een bon?

In dezelfde serie verschenen:

Magriet van der Heijden & Maarten Frankenhuis
Drinken vissen water?
en andere vragen van kinderen aan Artis

Bas van Lier
Spreken we in Europa straks allemaal Europees?
en andere vragen van kinderen aan de Europese Unie

Herman Pleij
Zwemmen er haaien in de slotgracht?
en andere vragen van kinderen aan het Muiderslot

Cor de Horde
Heeft de koningin een huissleutel?
en andere vragen van kinderen aan het koningshuis

Bas van Lier
Blijven mensen altijd bestaan?
en andere vragen van kinderen aan NEMO

De Nederlandse **Kinderjury** 2010
©CPNB

Win een boekenpakket!
www.nieuwamsterdam.nl/win

© Christa Carbo 2009
Alle rechten voorbehouden
Illustraties Irene Goede
Vormgeving Novak
NUR 218
ISBN 978 90 468 0580 0
www.nieuwamsterdam.nl/christacarbo

Christa Carbo

Krijgt de politie ook wel eens een bon?
en andere vragen van kinderen aan de politie

Met illustraties van Irene Goede

Nieuw Amsterdam *Uitgevers* in samenwerking met P☻LITIE

Inhoud

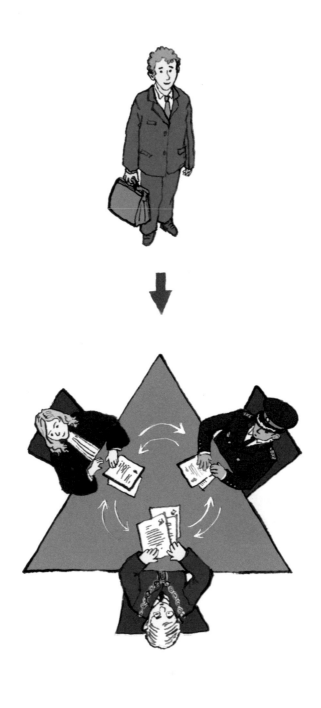

Wie is eigenlijk de baas van de politie?

De politie heeft verschillende bazen. De minister van Binnenlandse Zaken is officieel de baas van alle politiekorpsen. De minister zorgt dat er genoeg geld en mensen zijn, maar bemoeit zich niet met het dagelijkse politiewerk. Dat doen de burgemeester en de officier van justitie wel. Zij hebben allebei iets over de politie te zeggen.

De burgemeester wil dat het rustig en veilig is in zijn gemeente en daar moet de politie voor zorgen. Daarom overlegt hij vaak met de hoofdcommissaris. Als de burgemeester bijvoorbeeld toestemming geeft voor een belangrijke voetbalwedstrijd, moeten er die dag genoeg agenten zijn om het veilig te laten verlopen.

De officieren van justitie hebben weer een andere taak. Zij moeten zorgen dat boeven worden opgespoord en voor de rechter komen. Daarom leiden zij het onderzoek naar misdaden. De politie rapporteert aan hen. Als de politie iets bijzonders wil, zoals afluisteren, huiszoeking doen, of een arrestatieteam sturen, kan dat alleen als de officier van justitie het goedvindt.

De burgemeester van de grootste stad in de politieregio, de hoofdofficier van justitie en de hoofdcommissaris heten samen 'de driehoek'. Ze vergaderen vaak met elkaar en maken afspraken over de inzet van de politie.

Waarom zijn politiehonden vaak herders?

Omdat herdershonden daar de goede eigenschappen voor hebben: ze zijn gehoorzaam, moedig en enthousiast. Bovendien kunnen ze met hun lange neus heel goed ruiken. Een hond heeft ongeveer twintig keer zoveel reukcellen als een mens en zelfs voor een hond heeft een herder een enorm scherpe neus. Hij ruikt wel twee keer zo goed als de gemiddelde hond.

Met zijn neus kan een politiehond haarfijn onderscheid maken tussen de ene mens en de andere. Zo helpt hij misdadigers op te sporen. Snuffelend kan hij hun spoor volgen. Of een voorwerp aanwijzen dat door een verdacht persoon is aangeraakt.

Dat laatste heet een geurproef. Het gaat zo. Eerst krijgt de hond iets te ruiken met de geur van de dader erop. Een kledingstuk bijvoorbeeld, of een wapen dat op de plaats van de misdaad is gevonden. Daarna snuffelt hij aan zeven metalen buisjes die door zeven verschillende mensen zijn aangeraakt, één ervan door de verdachte. Als de hond door enthousiast te kwispelen het buisje met de geur van de verdachte aanwijst, weet de politie bijna zeker dat ze de goede persoon te pakken hebben.

Er werken trouwens ook andere hondenrassen bij de politie. Het kleinste speurhondje is een terriër. Hij is een gediplomeerd drugsspeurhond en het is een voordeel dat hij zo klein is. Hij kan overal in, op en onder kruipen op zoek naar verstopte drugs.

Lopen politiemensen altijd in uniform?

Nee, maar degenen in uniform vallen natuurlijk wel het meest op.
Vooral als ze op straat lopen, meestal met zijn tweeën. Er werken
meer dan vijftigduizend politiemensen in Nederland, maar die
twee die je langs ziet lopen zijn voor jou op dat moment dé
politie. Als je ze tegenkomt, geeft het een beetje een spannend
gevoel. Veilig en eng tegelijk. Misschien hebben ze iets op je
aan te merken. Het werk van de politie is te zorgen dat iedereen
zich aan de wet houdt, dus lopen ze steeds goed op te letten.
Surveilleren heet dat.

Politiemannen en -vrouwen dragen ongeveer hetzelfde pak:
blauwe broek met zwarte bies opzij, overhemd met stropdas en
een jack of net jasje met gouden knopen. Voor vrouwen bestaan
wel uniformrokken, maar die zijn eigenlijk alleen voor deftige
gelegenheden. Op straat moeten agenten kunnen rennen, vechten
en gewonden helpen na een ongeluk. Dat gaat allemaal niet zo
lekker in een rok en 's ochtends weet je natuurlijk nooit wat er
die dag gaat gebeuren, dus kun je maar beter een lange broek
aantrekken. Voor slecht weer is er een warme parka, met een rits
aan de zijkant op heuphoogte, waar het pistool in zijn holster zit.

Wie bij de politie werkt, mag ieder jaar voor een vast bedrag
kleren bestellen bij het landelijke postorderbedrijf van het Korps
Landelijke Politiediensten (KLPD) in Apeldoorn. Daar is alles te
krijgen: kleren, schoenen, handschoenen, riemen en sportoutfits.
Maar ook typische politiespullen als holsters, fluitjes, handboeien
en de deftige gouden vlechtkoorden waarmee de hoge piefen hun
uniform opsieren als ze in vol ornaat moeten verschijnen bij een
begrafenis of officieel diner.

Nemen agenten hun pistool mee naar huis?

Alleen als dat nodig is in verband met hun werk en dan stoppen ze het thuis in een speciaal kluisje zodat er verder niemand bij kan. Normaal bewaren politiemensen hun pistool op het politie-bureau. Dat vinden ze de veiligste plek voor zo'n gevaarlijk ding.

Het pistool van de Nederlandse agent is de Walther P5. De Duitse wapenfabriek Walther heeft het speciaal voor de politie ontworpen. Er zit een magazijn met acht kogels in. Alle acht kogels kunnen achter elkaar afgeschoten worden, alleen het eerste schot gaat extra zwaar. Wanneer de agent in een vuurgevecht terechtkomt, kan hij ook nog zijn reservemagazijn gebruiken. Dat heeft hij altijd bij zich. Iedere agent heeft dus steeds zestien kogels bij zich.

Het pistool zit vastgeklikt in een holster aan de koppelriem. Het is er niet zomaar uit te trekken, dat is een handigheidje dat je moet leren en waar politiemensen ook steeds op oefenen. Dat is wel zo veilig.

Vind je het vervelend als je net pauze hebt en er weer een boef komt die je moet vangen?

Ja, het kan vervelend zijn als je net een kop soep voor je neus hebt en er komt een noodoproep. Zeker als het je lievelingssoep is. Dan gaat het werk voor en moet die pauze maar even wachten. In politieseries op televisie zie je het vaak zo gaan. In het echt is het net zo. Daar moet je tegen kunnen, je weet nooit wat er over een minuut gaat gebeuren.

Zelfs in je vrije tijd ben je nog politieagent. Stel je zit in een restaurant te eten en een mevrouw aan het tafeltje naast je zakt plotseling in elkaar. Dan ga je niet rustig door met eten, maar ga je helpen. Dat heb je nou eenmaal geleerd.

Hoe gaat de politie om met een gijzeling?

De politie omsingelt de plek waar het gebeurt en laat een speciaal getrainde onderhandelaar contact maken met de gijzelnemer. Want ze wil de zaak als het even kan oplossen zonder geweld, om de gegijzelde niet in gevaar te brengen. Het eerste doel van de onderhandelaar is het vrij krijgen van de gijzelaar, het tweede is het oppakken van de dader.

De onderhandelaar moet altijd rustig zijn en met de gijzelnemer blijven praten, zodat die denkt dat er misschien een oplossing komt. Onderhandelaars mogen niet liegen, dat is te gevaarlijk. Een gijzelnemer die merkt dat zijn contactpersoon hem bedriegt, kan wraak gaan nemen op zijn gijzelaar. Wanneer de gijzelnemer geld eist, een vluchtauto, of een gesprek met een bepaald persoon, kan de onderhandelaar dat allemaal voor hem regelen. Zolang het de vrijlating van de gijzelaar maar dichterbij brengt.

Pas als praten niet helpt en de situatie te gevaarlijk wordt, kan een arrestatieteam het huis binnenvallen en de gijzelnemer overmeesteren. Dat kan op allerlei manieren, als het maar snel en met overmacht gebeurt. De politie heeft zelfs eens een gijzeling beëindigd door met een shovel de muur van het huis omver te rammen.

Arresteert de politie vaak kinderen?

Kinderen onder de twaalf niet, die kan de politie hoogstens
even meenemen naar het bureau. Pas vanaf twaalf jaar ben je voor
de wet strafbaar en kan de politie echt arresteren en verhoren.
Dagelijks moeten er honderd kinderen en jongeren van twaalf tot
achttien jaar mee naar het politiebureau voor verhoor. De politie
verdenkt ze van een misdrijf zoals diefstal, vernieling of geweld.
Door ze te verhoren wil de politie erachter komen wat er precies
is gebeurd en wat deverdachte er zelf over te vertellen heeft. De
meeste jonge verdachten zijn jongens, een op de vijf is een meisje.

Als de rechter een straf uitdeelt, is dat meestal een taakstraf,
dat betekent voor straf leren of werken. Maar er zijn ook kinderen
en jongeren die in de gevangenis komen. Beneden de zestien jaar
voor maximaal een jaar, zestien- en zeventienjarigen voor maximaal twee jaar. Een jonge misdadiger kan ook naar een jeugdinrichting gestuurd worden voor behandeling, als de rechter
denkt dat hij of zij psychische problemen heeft.

Kinderen en jongeren komen trouwens niet voor de gewone
rechter, maar voor een speciale kinderrechter. Wanneer een zes-
tien- of zeventienjarige een heel zware misdaad heeft gepleegd,
kan hij bij wijze van uitzondering als volwassene worden berecht
en een volwassen straf krijgen.

Hoeveel mensen schiet je nou ongeveer per dag dood?

Schieten gebeurt echt niet elke dag, het is een grote uitzondering. Gemiddeld drie keer per jaar valt er een dode door een politie-kogel, ongeveer vijftien mensen per jaar raken gewond.

Nederlandse politiemensen houden niet van schieten, ze vinden hun mond het belangrijkste wapen. Spannende situaties lossen ze liever op met praten en als dat niet lukt gebruiken ze pepperspray, die is niet dodelijk. Het pistool hebben ze bij zich in geval van uiterste nood. Als ze het pakken, is dat meestal alleen om mee te dreigen. Veel politiemensen gebruiken hun wapen nooit in het echt. Ze schieten alleen op de schietbaan, om te oefenen.

De rijksrecherche onderzoekt zo'n twintig keer per jaar een schietincident. De vraag is dan of de politie terecht heeft geschoten. Meestal is dat zo.

Werkt de politie ook met paarden?

Ja. Dat heet de Bereden Brigade en die bestaat al sinds 1900.

De Nederlandse politie heeft honderdzestig paarden in dienst en ieder paard heeft een vaste berijder. Zij werken als een koppel en gaan ook samen naar trainingen en wedstrijden. De grote steden hebben hun eigen paarden. Voor de rest van Nederland heeft het Korps Landelijke Politiediensten paarden en ruiters te leen voor bijzondere gelegenheden. Meestal is dat als er veel mensen op de been zijn.

In de stad doen de blauwe ruiters vaak hetzelfde werk als hun collega's op twee benen: boeven vangen, bonnen uitdelen, helpen bij ongelukken. Een paard kan overal makkelijk komen. Een politieruiter galoppeert als het moet tussen de bomen van het park door, net zo wendbaar als een gewone agent, maar stukken sneller. En anders dan met de auto kan de politie te paard ook in de kleinste steegjes komen.

Maar de belangrijkste taak van politiepaarden is het rustig houden van grote mensenmenigten. Daarom is de ruiterij erbij als de mobiele eenheid moet uitrukken. Mensen hebben respect voor paarden en gaan opzij als ze eraan komen. Paarden voor en achter de stoet houden demonstraties bij elkaar. Als er voetbal-supporters veilig naar het station gebracht moeten worden, lopen de paarden om ze heen. Dan kunnen ze geen rottigheid uithalen en ook niet belaagd worden door de aanhang van de thuisploeg. Als de eerste hulp een gewonde moet helpen en last heeft van opdringerig publiek, maakt de bereden politie ruimte door er met de paarden omheen te gaan staan.

Een politiepaard is een bijzonder paard. Het kan tegen knallen, vuur en rook en wordt niet bang als er veel mensen zijn, of als er met dingen wordt gegooid. Daar heeft het samen met zijn ruiter op geoefend. De opleiding duurt gemiddeld een half jaar en ook daarna zijn er vaak trainingen. Het is ook een kwestie van vertrouwen: paard en ruiter kennen elkaar en voor de ruiter doet het paard bijzondere dingen. Ervaren politieruiters zeggen dat hun paard als het echt spannend wordt nog moediger is dan bij oefeningen. Alsof hij weet wanneer het 'om het echie' is.

Soms wordt een politiepaard afgekeurd omdat het toch te schrikachtig is of zijn werk om een andere reden niet goed doet. Dan wordt het verkocht. Zo moest de Amsterdamse politie eens afscheid nemen van een paard dat te langzaam liep. 'Het was net of je op een heel stroeve fiets reed. Je werd er doodmoe van,' vertelt een ruiter. Maar de meeste politiepaarden werken door tot ze te oud worden. Dan mogen ze naar het paardenrusthuis en in de wei lekker namijmeren over wat ze allemaal hebben meegemaakt.

Wat heeft een agent allemaal bij zich?

Pistool, handboeien, een portofoon voor het contact met collega's, reservepatronen voor het dienstpistool, een bonnenboekje, draagring voor een zaklamp, een zakmes en rubberen handschoenen voor vieze karweitjes. In de borstzak zit nog een fluitje, handig om de aandacht te trekken en het verkeer te regelen.

Alles bij elkaar een vracht aan uitrusting, die de agent grotendeels om zijn middel draagt aan een zware leren riem, de koppel. Met het kogelwerende vest erbij loopt de surveillerende politieman of -vrouw de hele dag rond met een kilo of vijf aan spullen. Als je het wilt uitproberen: dat is zo zwaar als een grote zak aardappelen. Wanneer ze aan het eind van de dienst hun uniform uittrekken, valt er letterlijk een last van ze af.

In de politieauto zitten trouwens nog veel meer spullen die van pas kunnen komen, zoals een brandblusser, een reddingstouw en een veiligheidshelm. Er is ook altijd een teddybeer aan boord, als troostcadeautje voor een kind dat iets ergs is overkomen.

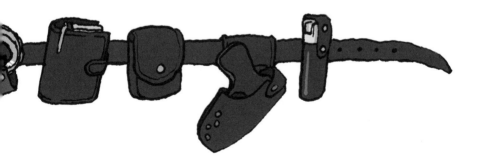

Hoe kun je zien of iemand een boef is?

Dat kun je niet zien, hoe angstaanjagend of lief iemand er ook uitziet, dat zegt helemaal niets. De boeven die je uit stripverhalen kent, zijn meestal mannen met stoppelbaarden en gemene ogen. Terwijl een boef in het echt net zo goed een meisje met een paardenstaart kan zijn, of een oude heer in een keurig pak.

Soms verraden mensen zich door hun gedrag. Wie bijvoorbeeld op een snikhete dag met een jas over zijn arm rondloopt, moet niet raar opkijken als de politie langskomt voor een praatje. Want een agent weet uit ervaring dat zo iemand een zakkenroller kan zijn die de jas gebruikt om vliegensvlug gestolen portemonnees onder te verstoppen.

Politiemensen kunnen net zomin als jij zien wie een boef is, maar sommigen zeggen dat ze in de loop der jaren een soort radar hebben gekregen voor onraad. Ze voelen het als er iets niet klopt. Dat noemen ze intuïtie. Natuurlijk kunnen ze geen mensen gaan opsluiten omdat hun intuïtie kriebelt. Maar ze kunnen wel gaan onderzoeken of er echt iets aan de hand is. En vaak is dat dan zo.

Kan een politieauto extra hard?

Nee, politieauto's zijn gewone auto's zonder opgevoerde
motoren. Als het nodig is, mag de politie natuurlijk wel plankgas
rijden, door rood en overal inhalen. Maar bij een achtervolging
kunnen ze geen extra snelheid maken om iemand bij te houden
die wegspuit in een superbolide. Wel kan de achtervolgende
wagen collega's oproepen om te komen helpen. Die kunnen
de voortvluchtige van de andere kant tegemoet rijden. En een
helikopter kan vanuit de lucht in de gaten houden waar hij
heen rijdt en agenten op de grond die kant op loodsen.

Ook bij achtervolgingen moet de politie in de eerste plaats
veilig rijden. Politiemensen krijgen daar, boven op hun gewone
rijbewijs, een speciale rijopleiding voor. Toch gebeuren er nogal
eens ongelukken met politieauto's. Daarbij vallen ieder jaar een
paar doden en meer dan honderd gewonden. Het komt zelfs
voor dat politieauto's die op dezelfde oproep afkomen tegen
elkaar aan botsen. Daarom wil de minister die de baas is van
de politie, dat alle agenten nog een extra rijcursus doen.

De Nederlandse politie heeft dertienduizend voertuigen, gewone auto's, busjes en motoren. De meeste zie je op een kilometer afstand al aankomen, wit met rode en blauwe strepen en blauwe lichten op het dak. Maar er zijn ook onopvallende auto's bij. Dat kan wel eens handig zijn, want de politie wil niet altijd herkend worden. Zo kon een vluchtende dief eens ingerekend worden toen hij zelf bij een niet-herkenbare politieauto instapte. Hij zag de langzaam rijdende auto in de zenuwen aan voor zijn vluchtwagen en sprong op de achterbank onder de uitroep: 'Wegwezen!'

Als je 112 belt, nemen ze dan altijd op?

Ja. Je hoeft echt niet bang te zijn dat je bij de alarmcentrale
een ingeblikte stem aan de lijn krijgt, of een niks-aan-de-hand-
muziekje. Want dat nummer is er natuurlijk speciaal voor als er
wel iets aan de hand is. Iets dringends. Als je direct hulp nodig
hebt, bijvoorbeeld als je een ongeluk ziet gebeuren, kun je er
altijd terecht.

Alle vijfentwintig politieregio's hebben hun eigen centrale
met 112-telefonisten. Bel je met een vaste telefoon, dan komt je
telefoontje terecht bij de centrale bij jou in de buurt. Wie mobiel
belt, krijgt antwoord van de landelijke centrale in Driebergen.
Dat is de grootste centrale, waar soms op één dag meer telefoontjes binnenkomen dan bij de andere centrales in een heel jaar.

Hoeveel mensen er aan de telefoon zitten verschilt. Soms zijn
het er vijf, soms tien of twintig. Ze weten wel ongeveer wanneer
ze veel telefoontjes kunnen verwachten en daar houden ze rekening mee; met oud en nieuw is het 't drukst. In ieder geval zitten
er altijd genoeg mensen om direct op te nemen, want bij het
alarmnummer kan dat een kwestie van leven en dood zijn.

Is de douane een onderdeel van de politie?

Nee, de douane hoort bij de belastingdienst. Net als de politie
zijn douaniers bezig met controleren van wetten en opsporen
van dingen die niet mogen, maar alleen als het gaat om spullen
die Nederland binnenkomen. Sommige, zoals drugs, wapens en
beschermde dieren, mag je niet zomaar invoeren. Als je het toch
probeert, ben je een smokkelaar, dan ben je strafbaar. Er zijn
ook dingen die je wel mag invoeren, maar waar je eerst belasting
over moet betalen, zoals sigaretten, drank en auto's. Wil je die
het land in brengen zonder te betalen, dan is dat ook smokkelen.
Je zou de douane dus de antismokkelpolitie kunnen noemen.

Je kunt de douane bij de grens tegenkomen als je uit het buitenland komt. Ze mogen in je tas kijken om te zien of er smokkelwaar in zit. De mannen en vrouwen die je paspoort controleren, zijn trouwens geen douane. Dat is de marechaussee. Dat is ook een soort politie, maar anders dan de gewone. De marechaussee hoort bij het leger. Deze politiemensen surveilleren niet op straat. Ze bewaken de grenzen, vandaar de paspoort-controle. Voor de luchthaven Schiphol zijn ze een soort bedrijfs-politie omdat dit eigenlijk ook één grote, drukke grenspost is. Een andere speciale taak van de marechaussee is het bewaken van prinses Máxima, prins Willem-Alexander en de rest van de koninklijke familie.

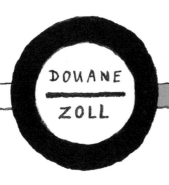

Waarvoor dient het uniform eigenlijk?

Het zorgt ervoor dat je de politie makkelijk herkent. In hun uniform met pet en goudkleurige versieringen zien agenten er opvallend uit, je ziet ze niet snel over het hoofd.

Iedere agent kan je vertellen dat op straat lopen in een politiepak in het begin behoorlijk spannend is. Je moet het leren. Mensen letten op je, ze denken dat je alles weet en als er iets onverwachts gebeurt – een ongeluk of een overval – kijkt iedereen naar jou voor een oplossing. De eerste paar keer buiten in je uniform zijn speciaal om te wennen, ervaren collega's doen het echte werk. Dat heet gewenningsstage.

Sommige mensen doen uit stoerheid expres vervelend als ze de politie zien, andere gaan zich juist supernetjes gedragen uit angst voor een bon. Het politie-uniform heeft invloed op mensen. Ook op degene die het draagt, want die voelt zich met pak aan net iets heldhaftiger. 'Halt, politie!' klinkt toch overtuigender uit de mond van een in strak blauw met goud gestoken diender, dan uit die van zomaar een meneer in een gebreide trui.

Toch kan die laatste ook een politieman zijn. Een speurder van de recherche, die in gewone kleren werkt omdat hij niet altijd herkenbaar wil zijn. Bij het schaduwen bijvoorbeeld – iemand stiekem achtervolgen om te kijken wat hij gaat doen – zou een uniform de boel maar verraden. Vandaar ook zijn bijnamen: stille of dofgajes (zonder het glimmende goud van het uniform).

Als hij je wil aanhouden, moet een rechercheur zijn politie-pasje laten zien om te bewijzen dat hij echt politie is. Dat is hij wel degelijk, ook zonder uniform. Onder die trui heeft hij zijn pistool en handboeien bij zich.

Heeft iedere agent een eigen taak of doen ze allemaal verschillende dingen?

Iedere agent moet alle soorten politiewerk kunnen doen. Hij moet verstand hebben van verkeer, hij moet drenkelingen kunnen redden en hij moet de strafwet kennen. Hij moet iets weten van de gewoontes en ideeën van mensen uit allerlei landen en liefst ook nog iets van hun taal.

Vaak is de politie als eerste bij allerlei noodsituaties en een agent moet dan weten wat hij doen moet. Het is een ingewikkelde baan. Daarnaast kun je van je chef ook nog een specialisme krijgen. Van een bepaald stukje politiewerk weet je dan meer dan je collega's. Bijvoorbeeld van het werken met jongeren, van drugs, of van inbraken.

Heeft de politie standaard een kogelvrij vest aan?

Nee. Eigenlijk heet zo'n ding een steek- en kogelwerend vest en niet alle politiemensen trekken het iedere dag aan. De politieleiding raadt dat wel aan, maar echt verplicht is het niet. Daarom laten agenten die het te warm of te zwaar vinden – het weegt tweeënhalve kilo – hun vest soms uit.

Iedere agent heeft een eigen kogelwerend vest, bedoeld om onder de kleren te dragen. Het valt over de borst en de rug, want daar ben je het kwetsbaarst. In je borstkas zitten immers allemaal belangrijke organen; als die kapotgaan, ga je dood.

Een paar jaar geleden bestonden er alleen superzware en stijve vesten om over het uniform aan te trekken. Ze lagen klaar in de politieauto voor als het spannend werd. Politiemensen hadden daar een hekel aan, ze konden zich er niet goed in bewegen. Sommigen konden er maar net bovenuit kijken als ze met zo'n vest aan in de auto zaten en in- en uitstappen was een heel gedoe.

Het kleinere, lichtere beschermvest van nu is gemaakt van een weefsel van harde kunststofdraden in heel veel lagen op elkaar. Dat weefsel veert een beetje, het vangt de kogel op zoals het net in een voetbaldoel de bal opvangt. Het verspreidt ook de druk waardoor de klap minder hard aankomt en het drukt de punt van de kogel plat. Een scherp mes zou wel door de stof heen kunnen, daarom is er ook nog een laag van metalen schubjes, een beetje te vergelijken met de maliënkolder van middeleeuwse ridders.

Als de dader schiet, voel je het dan nog ondanks je bescherming?

Niet altijd. Een politieman die dwars door een deur heen beschoten was toen hij iemand moest arresteren, is daarna nog een hele tijd op zoek geweest naar de kogel. Die leek spoorloos verdwenen. Tot hij merkte dat de kogel in zijn eigen vest was blijven steken. Als hij het vest niet had gedragen, was hij waarschijnlijk dood geweest en nu had hij niet eens gemerkt dat de boef hem raakte! Maar dat kan ook gekomen zijn door de spanning van de situatie en de concentratie van de agent. Als je heel ingespannen met iets bezig bent, voel je pijn niet altijd.

Toch kun je wel lichtgewond raken van een kogel die op je vest wordt afgevuurd. Het hangt er een beetje van af op welke plek hij terechtkomt. Tegen een bot aan doet het meer pijn en heb je een grotere kans op kneuzingen dan wanneer de deuk van de kogel wordt opgevangen door een zacht gedeelte van je lichaam.

Krijgt de politie zelf ook wel eens een bon?

Jazeker. Een bon of een bekeuring krijg je als je een overtreding begaat, zoals fietsen zonder licht, wildplassen of fout parkeren. Dat mag de politie ook niet. Een politieauto die op de snelweg geflitst wordt omdat hij te snel rijdt, krijgt gewoon een bekeuring. De geüniformeerde hardrijder moet die zelf betalen, behalve natuurlijk als hij kan bewijzen dat hij achter een boef aan racete.

Een bekeuring kost een paar tientjes tot honderden euro's, afhankelijk van wat je precies gedaan hebt. De tarieven per soort overtreding – van rolschaatsen door rood licht tot zwartrijden – staan vast. Als je nog geen zestien bent, betaal je de helft van de boete.

Jaarlijks worden er miljoenen bonnen uitgedeeld, de meeste voor overtredingen in het verkeer. Het is dus niets bijzonders, maar wie het overkomt vindt het altijd vervelend. Het is zonde van het geld en het is nog je eigen schuld ook. Stom, stom! Daarom proberen mensen er vaak met smoezen onderuit te komen. Een politieagent met een paar jaar ervaring kent er tientallen uit zijn hoofd. 'Ik moet naar het ziekenhuis', 'Het licht was nog oranje', 'Toen ik van huis ging, deed mijn lamp het nog', 'Ik reed zo hard omdat ik dacht dat u mij achtervolgde'.

Origineler: 'Ik heb geen licht op mijn fiets omdat het niet mag van mijn geloof, want het is vandaag Grote Verzoendag.' Dan heb je pech als de agent zelf Joods is en weet dat dit klinkklare onzin is, maar misschien heb je geluk en denkt hij: voor alle zekerheid laat ik het bij een waarschuwing. Vrouwen proberen het soms met tranen. Ook dat kan werken als de politieman het zielig vindt, of als hij de voorstelling kan waarderen. Want een politieagent is ook maar een mens en hij is niet verplicht om te bekeuren. Hij kan besluiten het 'voor deze keer' door de vingers te zien. Zo kan hij ook een collega matsen die door rood rijdt. Of juist niet omdat hij dat vriendjespolitiek vindt.

Dragen boeven streepjespakken? En zijn er voor meisjesboeven ook roze streepjespakken?

Nee, in Nederland mogen gevangenen gewoon hun eigen kleren aan. In 1983 zijn hier als eerste land in de wereld de boevenpakken afgeschaft. In veel andere landen bestaan ze nog wel, maar niet meer gestreept. Een gevangenisuniform kan nu een oranje overall zijn, of een spijkerbroek met een blauw overhemd. Vaak passen die kleren niet goed en lopen gevangenen met afgezakte broeken. Daar komt de mode vandaan om broeken met laaghangend kruis te dragen, waar je onderbroek bovenuit komt.

Het pyjama-achtige pak met zwarte strepen dat je kent van de Zware Jongens en de Daltons is een Amerikaanse uitvinding. Honderd jaar geleden liepen ze er in Amerikaanse gevangenissen echt zo bij. Het maakte ontsnappen lastiger, omdat iedereen direct aan je kleren kon zien dat je een boef was. In de loop van de vorige eeuw beschouwden mensen het steeds meer als een oneerlijke extra straf om veroordeelden in zo'n lachwekkende outfit te laten lopen. Toen kwamen er gewonere kleren voor in de plaats.

Roze streepjes voor meisjesboeven hebben nooit bestaan. Wel is er in de Amerikaanse staat Arizona een sheriff die de mannen in zijn gevangenis graag een beetje pest. Hij heeft de uniformonderbroek ingevoerd. En die is roze.

· MUSEUM ·

ca.
1900

Werken er 's nachts veel politiemensen?

In de nacht zijn er altijd politiemensen aan het werk, maar het zijn er lang niet zo veel als overdag en ze moeten vaak een groot gebied in de gaten houden. Vroeger had de Nederlandse politie een mooie lijfspreuk: vigilat ut quiescant. Dat is Latijn en het betekent: hij waakt opdat anderen kunnen rusten. Toch zijn de meeste politiebureaus 's nachts dicht en donker. Als je belt, krijg je iemand aan de lijn die in een telefooncentrale zit. Die kan als het dringend is altijd een politieauto oproepen.

In de grote stad is het iets anders. Er zijn steeds politiemensen op straat en de politiebureaus zijn altijd open. De meest voor-komende klus 's nachts is zorgen dat het stil is, zodat mensen kunnen slapen. Wie last heeft van luidruchtige buren, belt vaak de politie.

Er kunnen natuurlijk ook andere zaken spelen: ongelukken, inbraken, mensen in nood. Zelfs dieren in nood. De Amsterdamse politie heeft op een nacht eens een dierenwinkel opengebroken omdat een hamster in de etalage met zijn koppie beklemd was geraakt in een looprad. De eigenaar van de zaak was niet te bereiken, dus kwam het breekijzer eraan te pas. De hamster werd gered, waarna een timmerman de deur weer dichtmaakte. De dierenhandelaar mocht zelf de rekening betalen. Had hij de telefoon maar moeten opnemen.

Wat is de taak van de politiehonden?

Honden doen allerlei klusjes waar mensen niet zo geschikt voor zijn, of die wij domweg niet kunnen. Voor de politie zijn ze onmisbaar. Er zijn speur- en bijthonden, in totaal zo'n vijfhonderd bij de hele Nederlandse politie. Ze hebben allemaal een opleiding gehad samen met hun baas, de hondengeleider. De hond woont bij zijn geleider, met zijn tweeën vormen ze een onafscheidelijk team.

Speurhonden kunnen levende of dode mensen opsporen, maar ook drugs en bommen. Er zijn ook honden die kunnen helpen bij het zoeken naar de oorzaak van een brand. Als de brand met benzine of een andere brandbare stof is aangestoken, kan de hond dat ruiken en aanwijzen waar de brand is begonnen.

Niet iedere hond is geschikt voor alle soorten speurwerk. Drugshonden zijn vaak heel actief, ze kruipen overal in en vinden zo pakketjes die op de gekste plaatsen verstopt zitten. Explosievenhonden moeten juist kalm zijn, om te voorkomen dat ze de bom per ongeluk af laten gaan. Als ze iets hebben gevonden komen ze er niet aan, maar gaan ze er rustig naast zitten, zonder te blaffen. Dat hebben ze geleerd op de politiehondenschool.

De surveillancehond, ofwel bijthond, heeft weer een heel andere taak. Hij is met zijn scherpe tanden en neus een wandelend wapen en spoorzoeker in één. Hij helpt daders te vinden en aan te houden en als het moet bijt hij daarvoor in een arm of been. Surveillancehonden zijn er ook vaak bij als de politie grote mensenmassa's in bedwang moet houden, bijvoorbeeld bij voetbalwedstrijden.

Politiehonden blijven zes tot acht jaar in dienst, daarna mogen ze met pensioen. Hun oude dag brengen ze meestal door bij hun geleider, want die mag de hond na zijn pensionering houden.

Wordt de politie vaak bedreigd?

Ja, politiemensen maken dagelijks scheldpartijen en bedreigingen mee, vooral als ze op straat werken. Sommige mensen gaan meteen in de aanval wanneer ze een bekeuring krijgen. Door duwen, trekken en slaan, maar vaker nog met woorden. Bedreigingen kunnen ook zomaar gebeuren, omdat iemand agressief wordt bij het zien van een politiepak. Zelfs een vriendelijk 'goedemorgen' van een agent wordt soms beantwoord met een bedreiging.

Vooral 's avonds en 's nachts, als mensen alcohol of drugs hebben gebruikt, zijn agenten vaak het mikpunt. Voor de politiemensen voelt het aan alsof beledigen en bedreigen op straat gewoon zijn geworden.

Misschien denk je dat ze er dus wel aan gewend zijn, maar dat is niet waar. Gemene scheldwoorden kunnen bij een politieman of -vrouw net zo hard aankomen als bij jou. Zeker als er ook nog een bedreiging achteraan komt: 'Ik sloop je' of 'Ik weet waar je woont'.

Politiemensen laten heel wat over hun kant gaan om de ruzie niet erger te maken. Daardoor gaan de meeste bedreigers vrijuit. Als ze op alle slakken zout legden, heeft een hoofdcommissaris gezegd, haalden zijn agenten vanaf het politiebureau het eind van de straat niet eens. De politie moet tegen een stootje kunnen, maar soms is de maat echt vol. Dan delen ze een boete uit, of

nemen ze de schreeuwlelijk mee naar het bureau. Het kan voor
hem nog een dure grap worden als de agent aangifte doet en
via de rechter honderden euro's smartengeld eist. Dat kan en
het gebeurt steeds vaker, in Amsterdam gemiddeld iedere dag
wel een keer.

Welke arrestaties komen het meest voor?

Arrestaties van dieven. Diefstal is bijna de meest voorkomende misdaad in Nederland. Daar hoort pikken uit een winkel bij, zakkenrollerij, inbraak en fietsendiefstal. Er is wel een misdaad die nog vaker voorkomt, maar de daders daarvan worden haast nooit gepakt. Dat is vernieling aan auto's en ander vandalisme.

Fietsendiefstal lijkt in Nederland wel een nationale sport, met 700.000 gejatte fietsen per jaar. Het is een bron van ellende voor alle fietsers. Ze rijden rond met zware kettingsloten om hun bezit te beschermen en toch vindt ieder jaar een op de twintig fietsenbezitters zijn geparkeerde karretje niet terug. Zelfs krantenbezorgers die even de andere kant op kijken, moeten voor hun fiets vrezen. Zo zag een Utrechtse krantenjongen die met zijn wijk bezig was nog net hoe zijn fiets met krantentassen en al werd opgetild en in een busje geladen. Machteloos moest hij toekijken hoe de dieven met zijn vervoermiddel en zijn bijbaantje de straat uit scheurden.

Gebruikt de politie wel eens een helikopter voor achtervolgingen?

Ja. De politie heeft acht helikopters en twee vliegtuigjes waarmee ze vanuit de lucht kunnen rondkijken en verdachten kunnen volgen. In een chaotische situatie, bijvoorbeeld als er net een bankoverval is gepleegd, is het handig als een politieman vanuit de lucht meekijkt en zijn collega's vertelt waar de daders heen gaan. In de nacht gebeurt dat met infraroodkijkers die warmte kunnen zien. Zo verraadt bijvoorbeeld ook een vluchtauto zich, zelfs als hij in het pikkedonker op een parkeerplaats tussen honderd andere auto's staat: de auto die nog warm is, licht op.

Helikopters gaan de lucht in op plaatsen en tijden waar het fout kan gaan, bijvoorbeeld als de geldwagens geladen worden. Maar ze vliegen ook zomaar, om alles op de grond goed in de gaten te houden. Vooral in de grote stad. 'Vergelijk het maar met Madurodam,' zegt een helipolitieman. 'Je ziet alles onder je gebeuren. Auto's zijn net speelgoed en mensen poppetjes.'

Een politieagent heeft een soort antenne voor wat ongewoon is en die antenne werkt ook als hij hoog in de lucht hangt. Zo kon een motorrijder dankzij de helikopter worden aangehouden nog voor hij een overval pleegde. Hij probeerde zich onder een viaduct te verstoppen toen hij de heli in de gaten had, dat was verdacht. Toen de politie op de grond hem aanhield had hij nog niet toegeslagen, maar hij had zijn boevenuitrusting met wapens en een bivakmuts wel bij zich.

Is dat echte peper in die pepperspray?

Ja. De pepperspray is een spuitbusje met een vloeistof waar capsaïcine in zit, dat is de brandende stof uit rode pepers. Het goedje in de spuitbus is honderden keren sterker dan gewone peper. De meeste mensen zijn meteen totaal verblind als ze het in hun ogen krijgen, soms kunnen ze even geen lucht krijgen en het doet ook flink pijn. Politiemensen krijgen tijdens hun training soms zelf pepperspray in hun gezicht. Dan weten ze hoe het voelt en ook hoe je het weer kunt uitwassen met water. Want daar moeten ze hun arrestant mee helpen, nadat ze hem in de boeien hebben geslagen.

De spuitbus wordt gebruikt om iemand tegen te houden die de politie te lijf wil gaan. Je schakelt de aanvaller even helemaal uit zonder dat hij ernstig gewond raakt. Daarom is pepperen beter dan schieten en is de spray in een paar jaar tijd het meest gebruikte wapen van de politie geworden. Ook tegen gevaarlijke dieren gebruikt de politie soms pepperspray. Er is zelfs wel eens een uit een terrarium ontsnapte gifslang met de spray 'uitgeschakeld', waarna het dier kon worden overgedragen aan de dierenambulance.

Voor gewone burgers is pepperspray een verboden wapen en wie ermee rondloopt, riskeert straf.

Wat voor soort wapens heeft de politie nog meer?

De wapenstok, een korte knuppel van kunststof met rubber.
Die heeft hij net als het pistool en de pepperspray altijd bij zich,
verstopt in een smalle zak in de zijnaad van zijn broek. Alleen een
leren lus steekt erbovenuit, daaraan kan de agent zijn wapenstok
tevoorschijn trekken. De politie mag hem gebruiken om zichzelf
te verdedigen, maar zomaar in het wilde weg meppen mag niet.
De regel is: mikken op armen en benen, die zijn het best bestand
tegen een tik.

De politie heeft nog veel meer wapens, maar die komen alleen
tevoorschijn bij bijzonder politiewerk. Zo kunnen arrestatieteams
die schietgrage verdachten moeten aanhouden ook automatische
pistolen bij zich hebben, dat is het soort wapen dat een kogelre-
gen kan afvuren. Scherpschutters hebben geweren met een vizier.
De mobiele eenheid, die vaak grote mensenmassa's in bedwang
moet houden, heeft lange wapenstokken – de 'lange lat' – traan-
gasgranaten en waterkanonnen waarmee ze mensen omver kunnen spuiten.

Ook de paarden en honden van de politie kun je als een soort levende wapens beschouwen. Voor een politieman te paard ga je eerder opzij dan voor zijn collega te voet. En speciaal afgerichte bijthonden helpen bij het oppakken en bewaken van verdachten.

Wat is de meest voorkomende straf?

De meest voorkomende straf is de minst strenge: een geldstraf, of boete. De politie geeft die voor overtredingen. Maar als je iets ergers hebt gedaan, een misdaad, moet je voor de rechter komen. Die deelt ook boetes uit. Bij de rechter kan dat flink oplopen, tot honderdduizenden euro's. Hoe erger de misdaad, hoe hoger de boete. De rechter houdt ook rekening met wat de dader kan betalen. Voor rijke mensen is een boete van duizend euro misschien niet zoveel, terwijl zo'n straf bij arme mensen wel hard aankomt.

Door een boete koop je de schuld voor wat je fout gedaan hebt eigenlijk af. Je betaalt aan de staat, die overtreders van de wet namens ons allemaal aanpakt. Soms moet de dader ook nog een schadevergoeding betalen aan het slachtoffer.

Een iets strengere straf is de taakstraf. De veroordeelde moet dan in zijn vrije tijd verplicht gaan werken of leren. Taakstraffen zijn klusjes die de meeste mensen niet voor hun plezier zouden willen doen; propjes rapen, onkruid wieden, kauwgom van de straatstenen schrapen of afwassen. Bij een leerstraf krijg je les om te zorgen dat je niet nog eens dezelfde fout maakt. Je leert bijvoorbeeld om je drift in te houden, niet te gaan rijden met drank op of goed met geld om te gaan. Wie niet komt opdagen, moet alsnog de cel in.

Vindt de rechter ook een taakstraf te licht, dan geeft hij gevangenisstraf.

Er zijn ook combinaties van straffen mogelijk, zoals boete en gevangenisstraf. Bovendien kan de rechter voorwaardelijk straffen, dat betekent dat de straf niet meteen in gaat, maar wel als de veroordeelde het nog een keer doet. De hoop is dat hij of zij voortaan wel zal uitkijken, met een voorwaardelijke straf als stok achter de deur.

Het Nederlandse recht kent wel maximale straffen, maar geen minimale. De rechter is vrij om een lagere straf te geven. Daders die voor het eerst voor de rechter moeten komen, krijgen vaak een lichte straf in de hoop dat ze ervan zullen leren. Iemand die steeds opnieuw de fout in gaat, krijgt steeds meer straf.

Horen vingerafdrukken echt maar bij één boef?

Ja, ieder mens heeft andere vingerafdrukken. Zelfs eeneiige tweelingen, die er verder precies hetzelfde uitzien, hebben een verschillend lijnenpatroon op hun handen. Vingerafdrukken worden al sinds de negentiende eeuw gebruikt om mensen uit elkaar te houden en ze zijn nog steeds belangrijk voor het opsporen van misdadigers.

Vroeger moesten speurders de afdrukken met het blote oog vergelijken, nu doet de computer dat. Het Automatisch Vinger-afdrukkensysteem Nederlandse Kollektie (Havank) in Zoetermeer bewaart twaalf miljoen vingerafdrukken van 1,2 miljoen personen en tienduizenden afdrukken van on-bekenden die gevonden zijn op de plaats van een misdrijf.

Misdadigers die valse namen gebruiken, vallen door hun vingerafdrukken genadeloos door de mand. In Zoetermeer zijn bijna honderdduizend van zulke klantjes bekend, onder wie een oplichter die door het leven gaat met niet minder dan eenenvijftig verschillende identiteiten.

Daders worden tegenwoordig ook vaak verraden door andere sporen, bijvoorbeeld haren, schilfertjes huid of bloed. Alles wat van of uit ons lichaam komt, draagt onze biologische handtekening: het DNA. In je kleren en handschoenen zitten zweet, haren en huidrestjes met jouw DNA-sporen. Op een sigarettenpeuk zit opgedroogd spuug en dus DNA. Overal waar we komen en op alles wat we aanraken, laten we wel iets achter.

Deze ontdekking heeft het oplossen van misdaden makkelijker gemaakt. Het DNA helpt de politie op twee manieren: het wijst daders aan en sluit onschuldige mensen uit. De politie kan nu zelfs tientallen jaren oude moorden oplossen. Een probleem is wel dat misdadigers allang in de gaten hebben dat het handig kan zijn haren of peuken van iemand anders achter te laten op de plaats van het misdrijf om de speurders af te leiden. Bandieten die de helft van een eeneiige tweeling zijn, hebben van moeder natuur een extraatje meegekregen. Hun vingerafdrukken verschillen wel, maar hun DNA is hetzelfde als dat van hun broer of zus. Dus is nooit honderd procent zeker vast te stellen van wie de DNA-sporen bij het misdrijf zijn. DNA alleen kan een zaak niet oplossen, maar als extra bewijs is het heel belangrijk.

Het opsporen van vingerafdrukken en DNA is dagelijks werk voor de recherche, de opsporingsafdeling van de politie.

Arresteert de politie ook collega's als zij iets fout doen?

Ja, de politie arresteert ook collega's. Er is zelfs een aparte politie-voor-de-politie, de rijksrecherche. Die kan collega-politiemensen arresteren die verdacht worden van misdaden. De rijksrecherche zoekt dan precies uit wat er gebeurd is en schrijft het op voor de officier van justitie, die de zaak voor de rechter kan brengen. Als de politie iemand heeft doodgeschoten of doodgereden, komt de rijksrecherche er altijd aan te pas om te onderzoeken hoe alles is gegaan.

Komt er na het onderzoek van de rijksrecherche een rechtszaak, dan kan de rechter een straf uitdelen. Daarbovenop raakt de veroordeelde zijn baan kwijt. Hij zal ook na zijn straf nooit meer voor de politie kunnen werken.

Voor kleinere misstappen, bijvoorbeeld een kleine diefstal of drugsgebruik, heeft de rijksrecherche geen tijd. Daarvoor hebben de politiekorpsen hun eigen onderzoeksafdelingen. Wie betrapt wordt, krijgt straf en ontslag. Een politieagent neemt dus altijd dubbel risico door te doen wat niet mag.

Waarom is de politie altijd met zijn tweeën op straat?

Voor de veiligheid. Twee agenten zien meer dan een en als er gevochten moet worden, wat nogal eens voorkomt, kun je er ook beter niet alleen voor staan. Bij een ongeluk kan één agent zich over het slachtoffer bekommeren en de ander het verkeer in goede banen leiden. De politie maakt veel ellende mee en dan is het prettig om een collega te hebben die je steunt. Het is dus om allerlei redenen handig. Er is nog een reden waar je misschien niet meteen aan denkt: die twee agenten kunnen elkáár in de gaten houden. Zo is de kans veel kleiner dat een politieman zijn eigen wetjes gaat maken en misbruik maakt van zijn macht op straat. Twee politiemensen samen zijn dubbel zo betrouwbaar.

Er is trouwens een uitzondering op de regel dat de politie altijd in duo's optreedt en dat is de wijkagent. Die werkt vaak in zijn eentje. De wijkagent kent zijn eigen buurt heel goed. Hij is vaak op straat en maakt met zoveel mogelijk mensen een praatje. Als er problemen zijn, kan hij ze helpen oplossen. Of anders weet hij wel iemand die dat kan.

Waarvoor word je in de cel gegooid?

Je moet de cel in als de politie je een poosje vasthoudt voor verhoor, omdat ze denkt dat je een misdaad hebt gepleegd. Tijdens het verhoor vragen ze je het hemd van het lijf, zodat ze alles daarna precies op papier kunnen zetten met jouw handtekening eronder. Dat is belangrijk voor als de zaak later voor de rechter komt. Je hoeft trouwens niet per se antwoord te geven, want je bent niet verplicht mee te werken aan je eigen veroordeling. De politie moet van tevoren vertellen dat je mag zwijgen. Als ze dat vergeet, is je verklaring ongeldig als bewijs. Daardoor zijn wel eens misdadigers vrijuit gegaan.

In het politiebureau zijn cellen. Kleine hokjes met hoge tralieraampjes en een zware deur met sloten. Hier kunnen verdachten een paar dagen 'logeren'. De cel is ingericht met een bedje, een tafel en een stoel, een wasbak en een wc. Het zit allemaal vast aan de vloer zodat je er niet mee kunt gaan gooien. Gezellig is anders. De meeste mensen zitten hier niet langer dan een paar uur, maar het kan ook een paar dagen zijn als de officier van justitie – de baas van het onderzoek – dat nodig

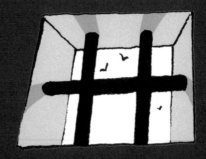

vindt. Dat heet 'in verzekering stellen'. Wie langer dan een weekje vast moet zitten, gaat naar een huis van bewaring, daar hebben de gevangenen iets meer ruimte en bewegingsvrijheid. In het huis van bewaring wachten mensen die verdacht worden van ernstige misdrijven soms maanden op hun proces. Bij kleinere misdrijven kun je tussen het verhoor en de rechtszaak gewoon naar huis.

Wat is de hoogste boete die de politie ooit heeft gegeven?

De politie geeft een boete bij overtredingen. Die zijn minder ernstig dan misdaden en er is geen rechtszaak voor nodig. Toch kunnen het flinke boetes zijn. De hoogste is er een van achttienhonderd euro voor vrachtwagenchauffeurs die rond-rijden zonder snelheidsbegrenzer.

Bij ongelukken met vrachtwagens vallen veel doden en gewonden, daarom mogen ze niet zo hard rijden als gewone auto's. Tachtig kilometer per uur is het maximum. Om er zeker van te zijn dat de chauffeur zich daaraan houdt, moet hij een apparaat in de auto laten inbouwen dat ervoor zorgt dat hij niet harder kan. Wie die regel aan zijn laars lapt, krijgt de hoofdprijs wat bekeuringen betreft: een vette boete. De politie schrijft een bon uit en een tijdje later valt de rekening bij de chauffeur of zijn baas in de brievenbus.

De laagste boete die de politie kan uitdelen heeft ook met een verkeersovertreding te maken. Als je ergens loopt waar je als voetganger niet mag komen – daar is een speciaal verkeersbord voor – kun je een bon krijgen. Boete: vijftien euro.

Voor wie is dat geld eigenlijk?

Alle boetes gaan naar de schatkist van de regering, net als de belastingen die de burgers betalen. Dat geld is van ons allemaal samen en de regering gebruikt het voor nuttige zaken zoals scholen, wegen en ziekenhuizen. En ook voor de politie.

Er is een bureau dat alle boetes int, het stuurt de rekeningen rond en let op of ze betaald worden. Dat is het Centraal Justitieel Incassobureau (CJIB). Niemand is blij als er een brief in de brievenbus valt met die afzender erop, want het betekent: 'Je hebt iets fout gedaan, betalen!' Meestal weet je wel waarvoor het is, maar het kan ook een verrassing zijn. Dan ben je ongemerkt geflitst wegens te hard rijden. Er staat altijd precies bij waar dat was en hoe hard je reed. Als je het er niet mee eens bent, kun je bezwaar maken en de rechter er nog eens naar laten kijken, maar de meeste mensen betalen gewoon.

Het CJIB haalt jaarlijks een kapitaal aan boetes binnen. Wel zevenhonderddertig miljoen euro in een jaar, ofwel driekwart miljard voor de schatkist.

Wat zijn die strepen in dat vakje op de schouders en hoeveel passen erin?

Aan dat vakje op de schouder – een epaulet – kun je zien welke rang de man of vrouw in het uniform heeft. Er zijn er negen. Het begint bij één gouden streep voor de aspirant, de leerling. Wie meer ervaring opdoet en zijn werk goed doet, krijgt er steeds een streepje bij. Dat gaat tot vier strepen bij de rang van hoofdagent.

De rangen daarboven hebben geen strepen maar plaatjes. De hoogste rang is die van hoofdcommissaris, de chef van een heel politiekorps. Daarvan zijn er zesentwintig in Nederland. De hoofdcommissaris herken je aan een compleet stripverhaal op zijn schouder: een kroontje (de rijkskroon laat zien dat de politie in dienst is van het rijk), twee gekruiste zwaarden (betekent: de hoogste rang) en een lauwertakje (een teken van commissarissen en hoofdcommissarissen). Ook aan de petten kun je zien of iemand een hoge rang heeft. Vanaf de rang van inspecteur is de klep met goud versierd; hoe meer goud bovenop, hoe hoger de persoon eronder.

Die rangen doen een beetje denken aan het leger en daar komt het idee ook vandaan. Door de indeling in rangen weet iedereen bij de politie precies wat hij mag en moet doen. De surveillant bijvoorbeeld (twee strepen) is een soort assistent-politie. Hij loopt vooral op straat en let op kleine overtredingen. Hij mag bekeuringen uitdelen, maar heeft geen vuurwapen. Dat krijg je pas vanaf één rang hoger: drie strepen, oftewel agent.

Aspirant

Brigadier

Surveillant

Inspecteur

Agent

Hoofdinspecteur

Hoofdagent

Commissaris

Hoofdcommissaris

Kan een boef politieman worden?
En een politieman boef?

Nee, de politie neemt geen boeven aan. Wie bij de politie wil werken, moet zoals dat heet 'van onbesproken gedrag' zijn. Je kunt nou eenmaal niet tegen andere mensen zeggen wat ze wel en niet mogen als je het zelf niet zo nauw neemt met de regels. Als je bij de politie solliciteert, onderzoeken ze je verleden. En als je ooit iets strafbaars hebt gedaan, kunnen ze je daarom afwijzen. Het hangt er wel een beetje van af wat je precies hebt gedaan. Eén winkeldiefstal toen je heel jong was, maakt je niet meteen ongeschikt voor de politie. Het politiekorps waar je solliciteert maakt die afweging.

Wat ook een probleem kan zijn, is boeven in je familie. Als je broer een boef is en je gaat veel met hem om, kun jij geen politieman worden. Dat lijkt misschien oneerlijk, maar het gevaar is dan te groot dat je een oogje voor hem toeknijpt, of dat je politiegeheimen gaat verklappen. Ook al ben je dat nooit van plan, als het echt spannend wordt, kan de drang om je bloedeigen familie te helpen toch te sterk zijn.

De politie kan wel boef worden en dat gebeurt ook af en toe. Tussen de honderd en tweehonderd politiemensen per jaar verliezen hun baan omdat ze iets strafbaars hebben gedaan.

Als je bij de politie werkt, moet je sterk in je schoenen staan. Je krijgt in beslag genomen geld, drugs en gestolen spullen in handen. Het kan reuze verleidelijk zijn daar wat van mee te nemen, zeker als nog niemand precies weet hoeveel het is. Je leert ook boeven kennen die je willen betalen voor informatie, of die je cadeaus en feestjes aanbieden om zogenaamd dikke vrienden met je te worden. Allemaal dingen die niet mogen, dat is wel duidelijk.

De politie moet supereerlijk zijn en mag nooit misbruik maken van haar bijzondere positie. Dus even in de politiecomputer kijken om te zien of de nieuwe vriend van je dochter een strafblad heeft? Daar is die informatie niet voor bedoeld en dat mag dus niet. Als je het toch doet, kan het je je baan kosten.

Valt die pet nooit af?

Nou en of. Daarom vinden veel politiemensen hun pet ook behoorlijk onhandig. Als het op straat erg druk is, is het risico groot dat een of andere grappenmaker hem van je hoofd tikt. Als je moet rennen, kan hij afvallen en als je veel in en uit de auto moet, moet je hem iedere keer vasthouden.

Je zou bijna zeggen: die pet is niet geschikt voor politiewerk. Toch hoort hij bij het uniform. Hij zorgt dat de politie herkenbaar is en een politieman met pet ziet er extra streng uit. Voor uniformen hebben we nou eenmaal ontzag. Over een sportiever modelletje – een soort baseballcap – is daarom al lang discussie. Zo'n petje draagt wel makkelijk, maar heeft het ook de goede uitstraling? Nee, het is niet bijzonder genoeg, vinden de tegenstanders. Tot nu toe is de cap om die reden tegengehouden.

Bij achtervolgingen en in grote menigten zijn agenten echt beter af zonder. Dan laten ze hun petten vaak in de auto liggen. Politievrouwen mogen in plaats van de platte pet ook een bol hoedje kiezen als ze dat leuker vinden staan. Maar veel vrouwen dragen liever de gewone pet.

Wanneer mogen agenten hun vuurwapen gebruiken?

Alleen in uiterste noodsituaties. Als hun eigen leven of dat van iemand anders in gevaar is omdat de boef met schiettuig, een mes of een bijl loopt te zwaaien. Maar ook om een misdadiger tegen te houden die wil vluchten. Dat moet dan wel een zware misdadiger zijn, iemand die gewelddadig is en gevaarlijk voor zijn medemensen. Op een gewone dief, die geen geweld gebruikt, mag de politie niet schieten.

De regels voor het gebruik van het vuurwapen zijn heel streng. Iedere keer als een agent zijn wapen heeft gepakt, ook als hij het daarna weer heeft teruggestopt zonder te schieten, volgt een onderzoek. De agent moet steeds als hij naar zijn pistool heeft gegrepen opschrijven waarom hij dat precies gedaan heeft.

Politiemensen moeten twee keer per jaar op de schietbaan een test doen om te bewijzen dat ze raak kunnen schieten, vanaf verschillende afstanden. Wie zakt voor de test moet een half jaar zijn wapen inleveren en mag een half jaar lang geen dienst doen op straat. Natuurlijk is schieten op de schietbaan iets heel anders dan in het echt. Als je een stilstaand papieren doelwit kunt raken, zegt dat nog niet dat je dat in een echt vuurgevecht ook kan. Gelukkig komen die niet zo vaak voor, maar als het gebeurt vliegen de kogels soms alle kanten op.

Is de ME een andere organisatie?

ME is de afkorting van mobiele eenheid en het is een onderdeel van de politie. ME'ers zijn gewone politiemensen die af en toe een vechtpak aantrekken. Daarvoor hebben ze een speciale opleiding van een paar weken gevolgd.

Een ME'er zie je nooit alleen. Ze komen altijd met tientallen tegelijk. Hun werk is het rustig houden, of krijgen, op plaatsen waar mensenmassa's zijn en rellen dreigen, bijvoorbeeld bij een voetbalstadion.

Lang geleden riep de politie het leger erbij als het uit de hand liep. In de jaren dertig van de vorige eeuw veranderde dat. De Amsterdamse politie wilde haar eigen boontjes doppen bij oproer in de straten. Daarvoor richtte ze de karabijnbrigade op, een soort politielegertje speciaal voor ongeregeldheden. De voorloper van de mobiele eenheid.

In dit krantenbericht uit 1959 kun je lezen hoe dat ging: 'Na een betrekkelijk rustige zaterdagavond is het gisteravond op de Dam weer tot een hevig treffen tussen politie en nozems gekomen. Veertien gehelmde leden van de karabijnbrigade sloegen er met de blanke sabel op los, raakten heel wat nozems en ook een aantal kijkers.' Nozems waren de hangjongeren van die tijd.

Tegenwoordig hebben ME'ers geen karabijnen (geweren) meer en ook geen sabels, maar wel de 'lange lat', een lange wapenstok. Ook hebben ze helmen met vizieren en schilden om zichzelf te beschermen. Zo'n groep gewapende mannen en vrouwen met helmen en schilden ziet er gevaarlijk uit, zeker als er ook nog politiehonden en -paarden bij zijn. Dat is ook de bedoeling. De hoop is dat mensen die anders misschien zouden gaan vernielen en knokken, liever een straatje omlopen als ze de ME zien. Als de vlam toch in de pan slaat, knokt de ME terug. Ondertussen proberen ME'ers in burger de ergste onruststokers uit de meute te halen.

Verkleden boeven zich wel eens als agent?

Ja, die truc is zo oud als het politie-uniform zelf. En het werkt ook vaak. Iemand in politiepak wordt nu eenmaal gauw geloofd. Of het een echt pak is of een uit de carnavalswinkel heb je niet meteen in de gaten. Zo kreeg een oude dame eens een 'politieman' aan de deur die vroeg naar haar kluisje met geld en juwelen, dat moest hij dringend meenemen. Een dief had er zogenaamd een bom in verstopt en die zou hij er op het politiebureau veilig uit laten halen. Pas toen de agent met de kluis was vertrokken, bedacht de vrouw wat een raar verhaal dat was. Maar ja, door dat politie-uniform was ze erin getrapt.

Doen alsof je een politieman bent, mag natuurlijk niet. Vroeger was het een probleem dat de ster die politiemensen op hun uniform droegen niet wettelijk beschermd was. Die werd dus vaak nagemaakt. Op namaakpolitiepakken zie je de ster nog steeds.

Het vignet dat de politie nu gebruikt – een wetboek met een vlam – is wel beschermd. Je mag het niet namaken. De 'vlammende tosti', zoals zijn bijnaam luidt, is exclusief voor de echte politie. Hetzelfde geldt trouwens voor de rode en blauwe strepen op politiewagens. Wie zijn eigen auto zo uitdost, krijgt ruzie met de echte politie. Die haalt je auto van de weg en geeft je een dikke boete.

Zijn er ook gevangenissen voor kinderen?

Ja, daar zijn er veertien van, verspreid over heel Nederland. Officieel heten ze geen gevangenis, maar 'justitiële jeugdinrichting'. Dat klinkt minder streng, maar het komt op hetzelfde neer: je kunt er niet zomaar uit. Er staan hoge muren en hekken omheen en de deur zit op slot.

Ieder jaar komen duizenden jongeren van twaalf tot achttien jaar in zo'n inrichting terecht. De rechter bepaalt hoe lang ze er moeten blijven.

In de jeugdgevangenis leef je met ongeveer tien anderen in een groep van alleen jongens of alleen meisjes. Er zijn veel regels over hoe je je moet gedragen en over de indeling van de dag. Opstaan en naar bed gaan bijvoorbeeld gebeurt op vaste tijden.

Iedereen heeft een eigen kamertje met een wc en een wastafel erin, net als in een cel in een volwassen gevangenis. Je komt er alleen om te slapen en dan gaat de deur op slot.

Jongens en meisjes in de gevangenis moeten wel gewoon naar school, een speciale school in de inrichting. Daar krijgen ze taal en rekenen, maar ook koken, fietsen repareren en andere vakken waar je iets aan hebt als je weer vrij bent.

Als je niet hoeft te leren of te werken mag je tv kijken, lezen, sporten of spelletjes doen. Tafelvoetballen bijvoorbeeld, of schaken. Computeren mag niet, want via internet en e-mail kun je contact maken met foute vrienden en dat is niet de bedoeling. Je mag ook geen mobiele telefoon hebben.

Bezoek mag alleen op vaste tijden en niet in je eigen kamer. Je zit in een speciale bezoekruimte met een heleboel anderen en er blijft altijd iemand van de inrichting bij. Huisdieren mogen niet op bezoek.

Hoe worden honden opgeleid tot politiehond?

Dat verschilt. Surveillancehonden krijgen als pup hun eerste training niet bij de politie, maar bij gewone liefhebbers die ze africhten voor de hondensport en die precies weten wat een politiehond moet kunnen. Zij leren de hond luisteren, hindernissen nemen, dingen en mensen opsporen. Daarna verkopen ze de hond door. Zo komt de politie aan honden die het begin van hun training al gehad hebben. Op de politiehondenschool worden ze samen met hun geleider verder opgeleid, dat duurt ongeveer een half jaar.

Aanstaande speurhonden koopt de politie als ze ongeveer een jaar oud zijn. De hondjes komen van fokkers en hondenliefhebbers die weten welke eigenschappen een politiehond moet hebben. Van de honderdtwintig honden die per jaar getest worden, hebben er twintig of dertig talent voor het speurdersvak. Zij gaan leren verdovende middelen op te sporen, mensenluchtjes uit elkaar te houden of explosieven te herkennen. Hond en baas doen samen examen, daarna moeten ze om de twee jaar terugkomen om opnieuw examen te doen.

De Nederlandse politie probeert nu zelf speurhonden te fokken en van jongs af op te leiden. Als twee speurhonden puppy's krijgen, zouden daar wel eens fantastische speurders tussen kunnen zitten. Fokken met speurhonden is geen probleem, want een politiespeurhond is net zo vaak een vrouwtje als een mannetje.

Hoeveel kinderen bellen per dag 112?

Duizenden en meestal terwijl er niets aan de hand is. Ieder jaar komen er tegen de twee miljoen neptelefoontjes van kinderen binnen. Zogenaamd voor de grap, om te pesten of om een valse melding te doen. Kinderen doen dat iets vaker dan volwassenen, maar ook die kunnen er wat van. Maar een van de drie telefoontjes naar 112 gaat over een echte noodsituatie, de andere twee keer is het ongein, onnodig of een ongelukje (per ongeluk de keuzetoets ingedrukt). Wat dacht je van het telefoontje van een mevrouw die kwaad is omdat de kapper haar haar heeft verknipt? Of van het 'noodgeval' van iemand die 's nachts belt dat hij niet kan slapen? Je hebt zelfs mensen die helemaal niet van ophouden weten, zij bellen aan één stuk door 112, honderden keren per dag. Zomaar.

De centrales hebben natuurlijk veel last van al dat gebel over niets. De politie probeert nepbellers dan ook altijd aan te pakken. De apparatuur om op te sporen waar een telefoontje vandaan komt, wordt steeds beter. Volwassenen kunnen voor misbruik van 112 in de bak komen of een boete krijgen van drieduizend euro. Als het een kind is, waarschuwt de politie de ouders. Kinderen

kunnen voor de rechter komen als ze het heel bont hebben
gemaakt, maar soms mogen ze het ook goedmaken met een
tekening of excuusbrief. De alarmcentrale in Driebergen heeft
een hele muur vol kindertekeningen. Die 'alternatieve straf'
helpt best goed: daarna horen ze bij 112 nooit meer iets van
dat kind. En dat is nou precies de bedoeling.

Heeft de politie vaak contact met collega's in het buitenland?

Ja, steeds vaker omdat misdadigers ook steeds vaker de grens oversteken en in verschillende landen actief zijn. Zeker in de grensgebieden werkt de politie nauw samen met de collega's van over de grens, er zijn zelfs gezamenlijke politiebureaus. Met België en Duitsland zijn afspraken gemaakt over achtervolging van verdachten. De Nederlandse politie hoeft niet bij de grens te stoppen, dat zou iets te makkelijk zijn voor vluchtende boeven. De Belgische of Duitse politie kan juist bijspringen, dus vluchters lopen de kans om over de grens eerder meer dan minder politie achter zich aan te krijgen.

Voor het opsporen en aanpakken van internationale bendes moet de politie wel samenwerken met collega's uit andere landen. Dat kan soms door een simpel telefoontje, maar om de samenwerking makkelijker en beter te maken zijn er ook twee internationale politieorganisaties, Interpol en Europol. Zelf doen die geen onderzoeken en kunnen ze geen boeven oppakken, maar ze helpen de politie in de aangesloten landen wel met informatie.

Interpol is het oudst, het bestaat al sinds 1923 en heeft zijn hoofdkantoor in de Duitse hoofdstad Berlijn. Het bureau werkt wereldwijd en houdt onder meer databestanden bij van gezochte personen en gestolen kunstwerken.

Europol bestaat sinds 1999. Er werken zeshonderd mensen en het hoofdbureau zit in Den Haag. Europol zorgt ervoor dat de politie in de landen van Europa informatie kan delen over misdaadorganisaties. Dat is steeds belangrijker bij het opsporen van drugsbendes, valsemunters, mensensmokkelaars en terroristische groepen.

Krijgen boeven in de cel alleen water en brood?

Nee, zo was het in de Middeleeuwen. Tegenwoordig krijg je in de cel gewoon eten. Het is niet bijzonder lekker of chic, maar je hoeft geen honger te lijden. 's Ochtends en tussen de middag zijn er bruine en witte boterhammen met kaas, pindakaas, pasta, jam en hagelslag, alles in van die eenpersoonspakjes die je soms ook in een hotel of in een vliegtuig krijgt. 's Avonds zijn er warme maaltijden uit de magnetron. Er is een weekmenu met vaste gerechten voor iedere dag. Maandag is bijvoorbeeld spaghetti-dag, dinsdag is er nasi. Voor wie geen vlees wil eten, is er een vegetarische hap en gelovigen kunnen eten krijgen dat past bij hun regels, dus halal eten voor moslims en koosjer voor Joodse gevangenen.

In het cellenblok moeten ze er altijd voor zorgen dat de gevangenen zichzelf en de bewakers geen kwaad kunnen doen. Daarom komen gewone borden en bestek er voor alle zekerheid niet in. Alles is van karton en zacht plastic.

Hoeveel boeven vangt de politie eigenlijk per jaar?

Een kwart miljoen, met alle politiemensen in Nederland samen. Dat is zo'n vijf boeven per agent per jaar. Of dat veel of weinig is, is niet zo makkelijk vast te stellen. Je zou in ieder geval kunnen zeggen dat het té weinig is, want voor drie van de vier misdaden in Nederland wordt nooit iemand gepakt. Daar zijn veel winkel- en fietsendiefstallen bij, die komen nu eenmaal het meest voor. Fietsendieven worden zo zelden gepakt, dat de meeste mensen diefstal van hun fiets niet eens meer aangeven bij de politie. Er is in Nederland domweg te weinig politie om alle misdaden op te lossen, aan veel zaken komt ze gewoon nooit toe. Dat geldt natuurlijk niet voor de ernstigste misdaden. Moordenaars lopen wel een behoorlijke kans gepakt te worden. In Nederland gebeurt er gemiddeld één keer in de twee, drie dagen een moord en drie-kwart van die zaken wordt opgelost.

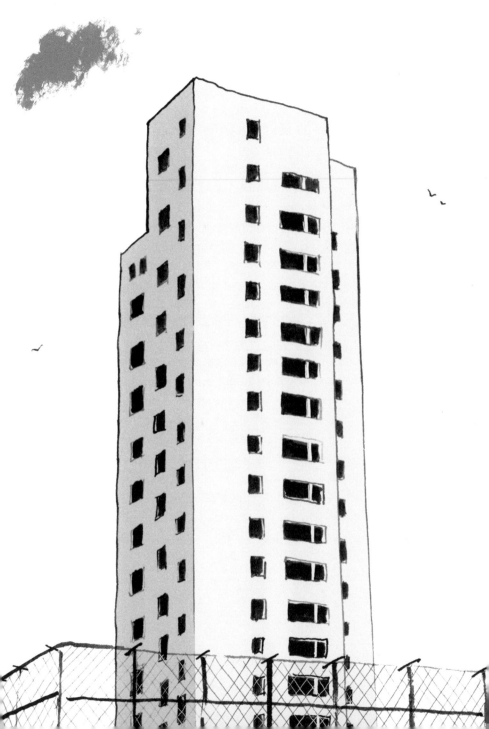

Hoe lang duurt de politieopleiding?

Dat hangt ervan af voor welke rang je leert. De studie voor surveillant duurt het kortst, anderhalf jaar. Daarna ga je eenvoudig politiewerk doen. Je loopt op straat en deelt bekeuringen uit, staat achter de balie van het politiebureau, of werkt als arrestantenbewaker. Je hebt wel een wapenstok en handboeien aan je riem, maar geen vuurwapen. Een rang hoger is agent, die draagt wel een pistool. Dat diploma haal je in drie jaar, voor hoofdagent leer je nog een jaar langer.

Deze drie rangen zijn samen het gezicht van de Nederlandse politie; de politiemannen en -vrouwen die je buiten tegenkomt, het 'blauw op straat'. Daarbovenop zijn er nog opleidingen voor studiebollen die in de leiding van het korps willen werken.

Er zijn ook studies voor specialistisch politiewerk, bijvoorbeeld als je bij de verkeerspolitie, de waterpolitie of de recherche wilt. Als je eenmaal bij de politie werkt, kun je nog volop doorleren. Voor een hogere rang of voor een specialisme. Zo kun je motoragent, ME'er of lid van een arrestatieteam worden.

Je kunt wel nagaan dat je op de politieacademie veel verschillende soorten vakken krijgt. Leervakken, zoals wetskennis en psychologie, en doevakken als eerste hulp bij ongelukken, zelfverdediging, politieauto rijden en schieten.

Hoe oud zijn arrestanten gemiddeld?

Tweeëndertig jaar. De meeste boeven zijn dus niet zo oud. De gemiddelde leeftijd gaat zelfs langzaam naar beneden omdat steeds jongere mensen misdaden plegen. De grootste groep arrestanten is pas negentien. Denk nu niet dat ouderen nooit iets uitspoken. Volgens de laatste tellingen worden niet alleen jongeren, maar ook hun opa's en oma's almaar actiever in de misdaad. Hun aantal is wel veel kleiner, maar per dag lopen er toch zo'n vijftien vijfenzestigplussers tegen de lamp.

Zijn er ook waakpoezen?

Nee, maar je zou de huispoezen van de politiemaneges wel politiepoezen kunnen noemen. Zij hebben de functie van muizenvanger en daarvoor hebben ze geen bijzondere opleiding hoeven doen, dat nuttige kunstje kunnen ze helemaal uit zichzelf. Verder zijn er geen politiebeesten, al schijnt bij de Duitse politie een varken te werken dat helpt met het opsporen van drugs. Varkens hebben zeer gevoelige neuzen, die gebruiken ze in de natuur voor het opsporen van lekkere hapjes. Dit bijzondere dier heeft geleerd zijn neus te gebruiken voor politiespeurwerk.

Is het moeilijk om politieman of -vrouw te worden?

Ja, dat is moeilijk. De eisen zijn streng en lang niet iedereen is er geschikt voor. Eerst moet je solliciteren bij een politiekorps. Gaat die sollicitatie goed, dan ben je er nog niet. Je gaat door naar het selectiecentrum van de politieacademie. Daar moet je allerlei tests doen. Ze kijken of je de goede karaktereigenschappen hebt, of je slim en gezond bent en of je foutloos Nederlands kunt spreken en schrijven. Pas als je daardoorheen komt – en dat lukt minder dan de helft van de kandidaten – word je aangenomen als aspirant-politieman of -vrouw. Je gaat naar de politieacademie om het vak te leren en krijgt meteen salaris. Per jaar beginnen ongeveer tweeduizend nieuwe politiemensen aan hun opleiding.

De academie geeft opleidingen op verschillende niveaus: mbo (middelbaar beroepsonderwijs), hbo (hoger beroepsonderwijs) en academisch. Je moet dus in ieder geval het daarbij passende schooldiploma hebben.

Het politievak leer je niet alleen uit boeken. Minstens de helft van de tijd ben je in de praktijk aan het werk, op straat en op het bureau, onder leiding van ervaren collega's.

Lees ook de andere boeken uit de vragenserie!

Drinken vissen water?
en andere vragen van kinderen aan Artis
Margriet van der Heijden &
Maarten Frankenhuis
ISBN 978 90 468 0150 5

**Spreken we in Europa straks
allemaal Europees?**
*en andere vragen van kinderen aan
de Europese Unie*
Bas van Lier
ISBN 978 90 468 0205 2

Zwemmen er haaien in de slotgracht?
en andere vragen van kinderen aan
het Muiderslot
Herman Pleij
ISBN 978 90 468 0418 6

Heeft de koningin een huissleutel?
en andere vragen van kinderen aan
het koningshuis
Cor de Horde
ISBN 978 90 468 0591 6

Blijven mensen altijd bestaan?
en andere vragen van kinderen aan NEMO
Bas van Lier
ISBN 978 90 468 0649 4